EL DUELO DE LA LUZ

DAVID ROSENMANN-TAUB

EL DUELO DE LA LUZ

Antología de Cortejo y Epinicio

Edición de

Álvaro Salvador y Erika Martínez

COLECCIÓN LA CRUZ DEL SUR • ANTOLOGÍAS • PRE-TEXTOS

MADRID • BUENOS AIRES • VALENCIA • 2014

Impreso en papel FSC® proveniente de bosques bien gestionados y otras fuentes controladas

LUIS SANTÁNGEL, 10 • 46005 VALENCIA
WWW.PRE-TEXTOS.COM

TIPÓGRAFOS: ALFONSO MELÉNDEZ Y *

ISBN: 978-84-15894-30-8
DEPÓSITO LEGAL: V-462-2014

ADVANTIA, S.A. TEL. 91 471 71 00

PRÓLOGO

COMO extraído de una narración borgiana, David Rosenmann-Taub nace en la calle Echaurren de Santiago de Chile en 1927 («Que no enturbie tus veredas / el barro de mis pisadas, / Echaurren, derrocadero, / Echaurren, calle escarlata...»). Descendiente de inmigrantes polacos, desde muy pequeño aprende música con su madre, Dora Taub, una excelente pianista que le inculca la pasión por la interpretación y la composición musical. Su padre, ávido lector y políglota, lo aficiona a la literatura. Los dos, como él mismo ha expresado en distintas ocasiones, serían sus primeros y más importantes maestros y valedores.

En Santiago realiza sus estudios primarios, simultaneados con los estudios de composición y piano en el conservatorio. Más tarde, ingresa en el Instituto Pedagógico de la Universidad de Chile, sin abandonar nunca su formación musical. En la misma Universidad de Chile, asiste como oyente a clases de botánica, astronomía, anatomía y física. Aprende varios idiomas y cursa también estudios de arte y estética. A los 21 años se gradúa de Profesor de Español, contribuyendo muy pronto a la manutención de su familia mediante clases de piano, gramática y literatura.

La trayectoria poética de David Rosenmann-Taub se inicia en 1945, cuando Antonio de Undurraga publica en la revista *Caballo de Fuego* un poema libro titulado *El Adolescente*. Poco después, en 1949, se edita la primera parte de su tetralogía poética *Cortejo y Epinicio*, que obtiene el premio de poesía del Sindicato de Escritores de Chile. Especialmente interesante es el devenir de este poemario, reeditado en 1978, 2002 y 2013. Sobre la labor de corrección llevada a cabo por su autor entre la primera y última edición ha escrito Jaime Concha: «Aunque parezca contradictorio postularlo, no se trata en absoluto de otro libro, sino del mismo libro renovado, corregido y, sobre todo, ...¡reducido! Con un aprendizaje poético ya en plenitud, el autor vuelve treinta años después sobre su obra temprana y la densifica –es decir, la poda y la comprime– a veces con crueldad. Rosenmann-Taub borra, elimina versos y secuencias de versos, dando por resultado un volumen presidido por el arte de la elipsis y efectos de discontinuidad». En este poemario, Rosenmann-Taub inaugura algunas de las constantes posteriores de toda su poesía: la concepción del sonido como inmanencia de las palabras y el trabajo obsesivo con sus posibilidades, la búsqueda de significaciones forzadas que transformen al poema en un objeto insólito, el silencio y la opacidad como síntomas de la errancia sin sentido del hombre y del universo. Significaciones forzadas que se sienten así por la polisemia, por las paradojas, por la yuxtaposición de conceptos, aparentemente contradictorios, debidos a la complejidad de comunicar con el lenguaje lógico estas contradicciones que ella contiene.

Lo que durante muchos años fue un proyecto largamente acariciado por David Rosenmann-Taub terminó convirtiéndose en realidad en 2013, cuando la editorial LOM publica por fin *Cortejo y Epinicio* como una tetralogía. Nain Nomez lo señala claramente cuando se editan los cuatro poemarios de forma conjunta y el primero pasa a llamarse *El Zócalo*: «...la tetralogía *Cortejo y Epinicio* es una obra que el poeta ha escrito a lo largo de su vida. El primer libro de los cuatro apareció en 1949 con el título de *Cortejo y Epinicio*, editado por la prestigiosa editorial Cruz del Sur, tomando el nombre de la tetralogía completa, lo que se ha prestado a confusión». Así es, porque en realidad lo que se antologa aquí hoy no es un libro sino cuatro. Después del primero, Rosenmann-Taub ha publicado *El Mensajero* (2003), *La Opción* (2011) y *La Noche Antes* (2013). Todo un ciclo creativo que ha cerrado el autor al cabo de setenta años.

En una reciente entrevista realizada por Patricio Tapia en *El Mercurio* de Santiago de Chile, el poeta señala lo siguiente en relación con el significado del título de la tetralogía: «Los seres humanos forman un cortejo. Tener conciencia de la conciencia: la victoria –el epinicio–. Quise describir el regalo de saberse y el de tener una voluntad. Planifiqué la tetralogía. Me ha exigido setenta años cumplir lo que me propuse». Y en relación con la estructura de la obra, añade:

> Cada volumen corresponde a una de las cuatro tradicionales edades del hombre, a una de las cuatro partes del día, y a la primavera, el verano, el otoño y el invierno de la vida. En cada una de las estaciones siempre están presentes las otras. En la vejez, a menudo, la primavera.

> Si bien el cuarto volumen corresponde a la noche –el invierno, la vejez–, la energía de la destrucción aparece a toda hora. *La Noche Antes* sucede a cualquier edad. En un sentido obvio, *La Noche Antes* es cuando la persona sabe que se está marchando.

De todos modos, el poeta ha descrito en otra obra la "mañana" siguiente a esa "noche". Para él la vida es un continuo eterno retorno. «Nada empieza y nada termina. Y todo empieza y todo termina». Por lo tanto, el mundo físico es una contradicción: la verdadera lógica no posee lógica, lo que entendemos por eternidad es un concepto que nació muerto. Esta concepción de la realidad acerca a nuestro poeta a las últimas reflexiones teóricas derivadas de los descubrimientos científicos más recientes, fundamentales para apreciar más profundamente el sentido último de toda su obra.

Cuando aparece en 2003, *El Mensajero* es considerado por la crítica como el mejor libro publicado ese año. En él puede percibirse ya la síntesis estética que caracterizará a Rosenmann-Taub en adelante. Sus poemas son claramente más depurados y mantienen sin embargo el delirio, la musicalidad y el aliento metafísico que define toda su obra.

Unos años más tarde, el siguiente volumen, *La Opción* (2011), subtitulado como "Cortejo y Epinicio III" se presentó etimológicamente como «un sí y un no: decisión e indecisión». Y citamos la solapa del libro: «Poner, a la multitud que contenemos, de acuerdo. Una lucha no para ganar, para saber. Ser un fragmento de la conciencia del multiverso, y su socorro, ya que éste es, también, un fragmento». Al ser la tetralogía una metáfora de las edades del hombre, de las estaciones del año y de la vida, este libro correspondería al otoño, la etapa que se asocia con la madurez de la naturaleza, de la vida del poeta, de su trayectoria, pero también con el comienzo de la decadencia, con el primer presentimiento del final.

La aparición de *La Noche Antes* se explica sola en un ciclo de estas características. El propio autor lo expone con claridad en la entrevista antes citada:

> En *Cortejo y Epinicio*, un poema ayuda al otro. En cada volumen están las cuatro estaciones y hay capítulos que se continúan de libro a libro. La referencia a la vejez y la muerte se hace más presente en *La Noche Antes*.
>
> No es lo mismo el saludo cotidiano, que el definitivo adiós. Observar todo para ver el sentido. Observar todo para ver que no hay ningún sentido. Credulidad sin fe. Fe en la incredulidad. ¿Tiene algún sentido vivir? La condición humana es, en general, inhumana.

De cualquier modo, como el mismo poeta señala más adelante, este ciclo no es el único que ha iniciado a lo largo de su carrera, sino que existen otros varios todavía no cerrados. Rosenmann-Taub ha publicado en la actualidad hasta una docena de libros entre los que podemos destacar: *Los Surcos Inundados* (1951), *La Enredadera del Júbilo* (1952),

Los Despojos del Sol: Ananda Primera (1976) y *Ananda Segunda* (1978), estos dos últimos fueron reeditados en 2006, *El Cielo en la Fuente* (1977), al que se agregaron los poemas de *La Mañana Eterna* en la reedición de 2014, *Al Rey su Trono* (1983), escrito en colaboración con Nahúm Kamenetzky con dibujos del propio poeta, *País Más Allá* (2004), *Poesiectomía* (2005), *Auge* (2007) y *Quince* (2008).

Rosenmann-Taub es sin duda, como Eliot, Pound o Juan Ramón Jiménez, un poeta de la totalidad, de la totalidad y de lo absoluto, de la creación en un sentido bíblico. En consecuencia es también, como buena parte de la crítica ha señalado, un poeta de los límites, de lo inefable, del más allá del poema. Es decir, un poeta autoexigente, que no se cansa de pulir y de corregir su obra todo lo que considera necesario. Setenta años ha tardado en cerrar este ciclo. En cerrarlo de una manera definitiva y brillante. Ciclo del que ofrecemos una muestra en esta antología que esperamos sepa revelar a los lectores el valor de su obra toda.

Álvaro Salvador y Erika Martínez

NOTA A LA EDICIÓN

Para esta antología se tomaron las últimas versiones de los poemas incluidos en el primer libro de la tetralogía, publicado por LOM Ediciones en 2013 con el título de *El Zócalo*.

ALGUNOS ASPECTOS DE LA TETRALOGÍA *CORTEJO Y EPINICIO*

ACERCA DEL TÍTULO

Cortejo: el poeta corteja la realidad para que se abra a él.
Cortejo: procesión de elementos de la naturaleza y del ser humano.
Cortejo de bodas con la realidad.
Cortejo funeral: homenaje a la condición de existir, que implica desaparecer.
Epinicio: la victoria de asumir este final fracaso.

Los términos "cortejo" y "epinicio" están, además, pensados como verbos en primera persona: yo cortejo – yo asedio – y yo epinicio – yo canto victoria –. El poeta se entrega del todo a esta apertura, a pesar de la resistencia de la naturaleza: su objetivo es ya un triunfo.

*

Cortejo y Epinicio: la esencia de lo que es, para el hombre, vivir en la tierra, en un particular tiempo y espacio, desde su ahora hasta su adiós.

Volumen I (*El Zócalo*): la primavera: la mañana: los iniciales veinte años.
Volumen II (*El Mensajero*): el verano: la tarde: de los veinte a los cuarenta años.
Volumen III (*La Opción*): el otoño: el crepúsculo: de los cuarenta a los sesenta años.
Volumen IV (*La Noche Antes*): el invierno: la noche: de los sesenta a los…

Los cuatro volúmenes: la experiencia de una conciencia siempre joven y madura, con sostenida energía. Un múltiple instante de lucidez: un extenso presente en un segundo intemporal. Nacimiento y agonía, amanecer y oscuridad. El triunfo de una derrota: un epinicio. Esto se enhebra con una multiplicidad de sentidos que se mantienen en la recepción y la mirada activa del lector.

CORTEJO Y EPINICIO I

El Zócalo

PRELUDIO

DESPUÉS, después, el viento entre dos cimas,
y el hermano alacrán que se encabrita,
y las mareas rojas sobre el día.
Voraz volcán: aureola sin imperio.
El buitre morirá: laxo castigo.
Después, después, el himno entre dos víboras.
Después, la noche que no conocemos
y, extendido en lo nunca, un solo cuerpo
callado como luz. Después, el viento.

OLVIDAMOS los ojos
inhóspitos, la boca
que ríe amordazada;
las uñas, infinitas,
que la oquedad custodian;
las arrugas, la frente,
el ademán de playas;
el húmedo crepúsculo
que también nace abajo.

Antes que la luz tiemble
dentro de las gavillas,
Dios madura en el polvo
de los dorados surcos.
Un árbol nos doblega
sus ciegas ramas crédulas,
y nos vamos tornando
sombra y sueño en la sombra.

EL GATO COGE A UNA MARIPOSA

Es un claro de luna desmoronado, ciego,
que lóbregos estambres enarbola; es un claro
de luna en la pared del comedor, y avanza,
por garras de candor, las alas a la rastra.
Bajel de inmensidad, todo gris ligereza,
con indolencia gris te amustias y tu vuelo,
                rezongando, rebota.
Las bandejas se apartan de tus torcidos mimbres:
                te mastica la sombra:
                a las sillas recorre
un conventual chirrido, la alcuza tintinea
                roncamente en el trinche,
las servilletas gritan, se funden los rincones.
Es un luto estridente, es un lamento eterno
de cucharas, manteles, platos, saleros, vasos;
es un claro de luna desmoronado, ciego,
que lóbregos estambres enarbola; es un claro
de luna en la pared del comedor, y avanza,
por garras de candor, las alas a la rastra.

CANCIÓN DE CUNA

Dinde.

CON retales de musgo, cariño mío,
te envolveré. Haga tuto mi niño lindo.
Te envolveré bien, hijo,
con esmeraldas y halos alabastrinos.
En tus manos, goloso cariño mío,
mil gusanos bonitos.
Haga tuto mi niño, niño podrido.

(Cuídate, aliento mío, por los atajos.
Adiós, aliento mío.)

Tranquilo, que te acompaño.
Muy luego con babero de barro:
niño violáceo.

Duérmete para siempre, mi lucerito.
Ciérrense tus ojitos, mi lucerito.
Ciérralos para siempre, niño podrido.

(Cuídate, aliento mío, corazoncito.
Aliento mío, aliento mío.)

Con pañales de hormigas, cariño mío,
te abrigaré el potito.

Duérmete para siempre, mi niño lindo.
Duérmete, hijo.
Hazle caso a tu Nana: ¡duérmete, hijo!

GENETRIX

Acabo de morir: para la tierra
soy un recién nacido.

Me incitó el espejo:
«Qué duro mendrugo para mis imágenes
aquella albufera ciega». Sin semblante,
le incité: «Me veo».

Era yo Dios y caminaba sin saberlo.
Eras oh tú, mi huerto, Dios y yo te amaba.

Qué de azotar las cúpulas, nombrándote;
sin lazarillo, tantos territorios,
zanjándote; implorándote, glacial
sol de rencor hacia tus tempestades:
¿te escondes? ¿o me escondo,
celando tus sandalias,
en largos funerales?
Con los sollozos de mi vastedad
qué de azotar las cúpulas, nombrándote.

Era yo Dios y caminaba sin saberlo.
Eras oh tú, mi huerto, Dios y yo te amaba.

DIOS se cambia de casa. En un coche de lujo
muy solícitamente guarda la estrellería
del sur. Echa en un saco al ángel principal:
la loza del ropaje afina el festival.
Cuán atareado se halla: por convencer a un brujo
de una residencial, de que la estantería
del juicio amamantó a la percha del mundo
–los grimorios ganzúan la absoluta palabra–,
se le escapa la luz del carro de mudanza,
con primogenitura. (En la tierra, iracundo,
se queja un costurón.) Perpleja, la Balanza
redila los rebaños y la dilecta cabra
apacienta en la nada. Requiriendo su espacio,
la vilhorra, en desquite, trisca en una mejilla
deste Dios distraído que cierta vez nos hizo.
Los torpes serafines tropiezan en un rizo
de Lucifer. Los coros yacen con la vajilla.
Y así entre trueno y trono se desarma el palacio.
Dios mete los edenes en unos cuantos tiestos,
y al fuego del infierno le aplica naftalina.
Los imanes neutrales en un baúl son puestos
junto a la senectud del alma y los anteojos
de Dios. El turbulento bergantín se encamina
por las olas del fárrago hacia la nueva casa.
Antes de abandonar el reino carcomido,
logrando repinarse sin que el polvo despierte,

Dios sube a la azotea a ver si, por olvido,
algo se le ha quedado: y aunque atisba y traspasa
los libres pasadizos, y baldean sus ojos
tejados y buhardas, se olvida de la muerte
y la vida que riñen en un rincón vacío.
Y Dios se va sin verlas, mas siente escalofrío.

ODA MORAL

¿Dios, siempre resfriado, tendrá temperatura?
Cosmolágrima:
me desgarras y estrujas,
contubernio de sales,
sin verter tu aleluya.
¿Dios, siempre despiadado, se fatiga en la ruta?
Cosmolágrima:
cómo punzas las sangres
y las uñas.

Ah, ser la triste oveja que ante el perro temible
insiste en bizarrías de profusa desmaña,
y acercarme, acercarme al brío incomodado,
y acercarme, acercarme y olerlo: ser el ímpetu
que muerde montaraz y con liana de baba
salpica las pupilas del eclipse sangrante,
y gozar del dolor: ser un dolor alegre:
la ola más alegre de los mares inmensos
y la nube más roja de todos los ocasos.
Desde los filaretes, majestuoso ciprés
tras los retumbos, contra los arduos apogeos
de hollín, tras las medusas que, con ansia, se extinguen,
ah, ser el asesino, ser la irisada hoja
próvida entre las tripas desventuradas, ser
el embalse del mosto, concordia de estertores,
y gozar del dolor: ser un dolor alegre:
la ola más alegre de los mares inmensos
y la nube más roja de todos los ocasos.
Ah, ser la rauda cópula del rijoso león
y la muchacha nítida: soles, ampos y soles:
los baluartes de un eco de orgullosas argollas,
las poleas de un valle de azucenas coléricas:
ser el cuello de mirra que, rebelde, palpita,
ya compungido estuche, ya lodazal, ya fresno
por sobre barandales, acendrado, vigía,
y gozar del dolor: ser un dolor alegre:

la ola más alegre de los mares inmensos
y la nube más roja de todos los ocasos.
Durante una espesura, plácido caracol
hacia los capitolios, enviscando la tribu,
en la morosidad de torvos rebalajes,
ah, ser la fugaz grima de las algas atónitas,
el espasmo de piedra de la zupia batalla,
el zigzag forastero de la escama que sueña,
y gozar del dolor: ser un dolor alegre:
la ola más alegre de los mares inmensos
y la nube más roja de todos los ocasos.
¡Sí, la oveja en porfía de tinieblas, y el perro
que descuaja el hocico de la oveja, chocando
con la tierna mandíbula, y ataca la mandíbula,
y la oveja que pule el arcaduz enjambre
con las yemas del viento, con las lenguas del pasto:
ah, ser la inexorable parasceve de fuego,
y gozar del dolor: ser un dolor alegre:
la ola más alegre de los mares inmensos
y la nube más roja de todos los ocasos!

La taza de café, la cafetera,
el vapor que mitiga a mi esqueleto,
la obediente sartén, el amuleto
tiznado, la mostaza, la nevera,

el roto lavaplatos, la sopera
pimpante, los melindres del coqueto
jarrón versicolor, el parapeto
de vainilla, azafrán y primavera.

Lugar de integridades: mi albedrío...
Oh dichosa cocina: cuando muera
y mi tiempo –sin tiempo– vibre y crezca,

en ronroneo fiel todo lo mío
claro retorne a tu silvestre estera
y tu vapor –sin fin– lo desvanezca.

QUE no enturbie tus veredas
el barro de mis pisadas,
Echaurren, derrocadero,
Echaurren, calle escarlata.

Entre las uñas del sol,
a lo verde nunca alcanza,
crepitante, lacerado,
tu arcedal, como mi alma,
Echaurren, calle difunta,
Echaurren, calle sonámbula.

Con los iris en las manos
en vano te ofrendo gajos
lacres de hidromiel de esperma
y ácidos azucarados.

Desde la entraña del hijo:
«Padre, ¿por qué andas descalzo?»
Desde la ausencia del padre:
«Hijo, es tarde, apura el paso.»
Y te clama mi tortura
y me persigues clamando.

Echaurren, donde nací,
no te conocen las ramas:
a lo verde nunca alcanza
el barro de mis pisadas,
a lo verde nunca alcanza
el barro de mis pisadas.

PUMA de luz: me he sumergido
en el cuarto de Sara,
hurgando una quimera de pudores y almizcles
en las gavetas donde ya no hay nada:
embriaguez de baldosa con lluvia,
de retratos o broches o acacias.

He estregado un montón de polvo
en los presidios de mi cara:
matza flagrante, sonora gamuza,
crinolinas de porcelana,
tropel de muñecas y valses
y abanicos y chapas.

Tras mascar el ropero vacío,
rasguñando el rincón de la lámpara,
he lamido tapiz y paredes:
sequedal hacia esponjas de hazaña:
con el jaral bullir de las polillas
un destello de cinta se enmañana.

El yeso me ha otorgado sus bodegas:
he ajordado, vicioso, por la rambla
de la victrola desaparecida:
por su cardumen de pizarra cálida:
tobogán de cerezas
para arribar al nácar de la infancia.

Arderme, persistirme,
hasta brotarme palmas en las palmas:
frenesí de fronteras,
tan remoto, en volandas,
tan mendigo, tan dentro
me buscaba y jadeaba y buscaba
el olor sin color, sin aroma,
de ciertas lágrimas.

LA VETUSTA COPLA

VOY recordando recuerdos,
vistiendo ruinas de ruinas.

Asueto de maniquíes
con ternura de ceniza:

un cantizal por estirpe
y una aladica por hija.

Ristra de ruinas de ruinas,
doblado –milpas enjutas–:
«Lagartija, lagartija»
–consejas entre la bruma–,
«no te comas a mi hija.»

Voy recordando recuerdos.
Más doblado: a la caída.

Pábilos que no accedieron
sisan recuerdos en ruinas.

Voy recordando recuerdos
en el erial de la Íntima.

En las lavas sensuales busco siempre el regreso
a los cielos profundos del río maternal.
Promontorio de cuervos, andábata leal,
volver anhelo al vientre por oasis de hueso.

MANSIÓN, Gracia, Verano: deseo tu deseo:
se rinde en tu cintura: se estremece en tu aliento:
un panal jubiloso te besa entre los senos:
un pabellón de astucias se empecina en tu cuello:
una lucha de umbelas: un confín venidero.
¡Es la separación cada vez que te envuelvo!
Me rindo en tu cintura: tu deseo allá lejos.
Me estremezco en tu aliento: tu deseo allá lejos.
Te beso entre los senos: tu deseo allá lejos.
Me empecino en tu cuello: tu deseo allá lejos.
¡No es bastante tu cuerpo! ¡No es bastante tu cuerpo!

PASIÓN

LA tierra invoca al cuerpo.
Agua de tierra y sal de tierra me penetran.
Magulladura, el árbol de la luz
da sombra. En la vorágine
los cielos piden alas a la tierra.
La cubierta del odio
consagra surtidor. Crea la tierra
alas:
crea tierra.

Más luz se precipita:
sus diademas nebulan por los mares:
y es la tierra de tierra,
y es el éter de tierra.
Desvelo mis raíces
con mi canto de tierra alborozada.

Y en el último abrojo
del arroyo de tierra,
en la última órbita
de jornada de tierra,
en la pugnaz resaca
de traidora cabeza,
cruje la tierra toda
su semental de tierra.

Coral aguja matutina, pistilo de amplitud,
joyel
proclive,
cumbre
sobre la cumbre, muere, muñón de tierra, el aire.
Vedada epifanía hacia los cielos,
mueren mis brazos.
Muero.
Desde los ejes, infinitamente,
tierra y alma, en la luz, se precipitan.

Se precipita el llanto.
La tierra se endereza: la hornagueo.
Y los bramidos de la tierra, sangre.

Abajo, aquí, la tierra;
arriba, aquí, su canto.
El llanto, cavidad
y cavidad, refluye,
se avellana,
y su canto: mi canto.

Hay que dormir el sueño de la tierra.
Hay que dormir.
Dormir.
Apresar la cascada.
Y en la sola mejilla de la tierra
apoyar las mejillas,
navegando a la paz.

Hálito oscuro, el tiempo irá al remanso:
«¿Grumo de tierra, el sueño?»
Las preñeces
del himno, por espolios.

No sabré si decir
«Quiero» o callar.
No ha de cesar el tiempo
su pasión.
No sabré
si hueso o tierra lo que roza el sueño.

CORTEJO Y EPINICIO II

El Mensajero

FICCIÓN

EL duelo de la luz: la luz del sueño:
el sueño de la luz: la luz del duelo
–luz de la luz del sueño, luz del ritmo–:
la bondad del reflejo (aciago círculo):
el ritmo de la luz –duelo del duelo–.

Duelo del aire: sueño,
¿sobre la luz, bajo la luz, me cruzas,
sueño del aire: duelo?

Rasa reconditez, ¿cruzas el aire?
El duelo: el aire: el duelo: el duelo. ¿El aire?
Luz del duelo
del sueño: hábil oruga:
loma del sueño: persuasor que atrae
himen espádice:

duelo del aire: sueño,
¿bajo la luz, sobre la luz, me cruzas,
sueño del aire: duelo?

¿La luz del duelo: el sueño de la luz?
Duelo: sueño del aire:
sueño del sueño de la luz, ¿me cruzas?
La luz del sueño: el duelo de la luz:
peregrinando, nadie.

GLEBA

Si macetas con plumas, si mamparas
con cepos, si coimeros
con viandas, si adalides con nostalgias,
si escrúpulos con ganchos, si desiertos

con ladrones, si tubos con amantes,
si orzuelos con escobas, si celliscas
con abulias, si emblemas con encajes,
si tijeras con belfos, si camisas

con flechas, si sahumerios con gusanos,
si naipes con gusanos, si trangallos
con gusanos, si horruras con responsos,

si ojivas con sospechas, si letargos
con infrapasadizos, si gusanos
con gusanos, si yo conmigo, solos.

SE acomoda el estrado del mechero.
Carraspea el hisopo.
Con brío lánguido –atizar brumoso–,
la eternidad, coqueta, ante el espejo,

en su traje vandálico. Los vuelos
–mirtos, lorzas...– frufrúan. Por los hombros,
la jarana de broches. En el pecho
el escote palpita. Perentorios

brazos: un rezagado crisantemo,
de las caderas a la nuca. Nítida,
la tirria de las lámparas: degüellos:

preseas: aneurismas.
Yo, felino cojín, inmóvil, tenso:
la eternidad se pinta en mis pupilas.

FÍSICO

POLEA de celajes:
hacia las medianoches del guarro amanecer,
los incas y sus pajes.

Trompo encarnado –predilecta muerte–,
giras para aprender a no moverte
y desaparecer.

¿Quizá de lo tortuoso unas señales?
¿Hubo entre estas instancias pensamiento?
Calvarios: por pañales.
¡Égida de escarmiento!

GESTA

La aurora, amplio desnudo caudaloso,
centelleó con dulzura.
La noche la cogió por la cintura,
sumiéndola en su catre venenoso.

Se echó la aurora a andar con pies trizados:
bizarría: rebozo
de nácar ojeroso:
jazmines derrumbados.

La mañana, famélica,
se gozó en sus entrañas;
pero la tarde le arrancó la presa:

bermejas telarañas.
Mintió la aurora a la felposa aldaba
y huyó hacia el ángelus, que la esperaba.

RODEADO de naranjos blanquecinos,
el muro, corazón crepuscular,
late plácidamente. Por las rejas

los rosales otean los caminos:
ah, contemplar el mar:
cómo abandonarían sus añejas

fibrillas: espirales.
El muro se arrellana: afables chales
de enredadera. El cierzo, tras las rejas,

pastor en oración.
Apóstatas, las tejas
cuchichean. Y el muro: corazón.

LA LLANURA

Dios clarea...

El sol pica la espuela:
«Arre, barbecho, bríndame una legua,
no por primor, ni tregua:
a ver si aupamos leche con canela
en el aturdimiento que te cela:
linda yegua.»
Barbecho ansioso, orondo huaso, tomas
la jarra: te la zampas: ¡está seca!

El henar y la tierra adeudan cueca.
El viento, qué guitarra de palomas.
La siesta de copihues –pernil– arde.
Qué guainería el trote.
Se derraman los chuicos de la tarde.
¿Y el horizonte? Con olor a mote.
¡Huifa de nubes! Pronto el cielo entero
será una fonda dentro del estero.

HURGANDO el escozor de una turgencia,
una almendra, implacable,
se partió a mi rigor, ricial, perfecta,
orgiástica, tajante:

mmmh, de tan sierva, arisca:
de tan febril, crispado manantial:
de tan almendra, enhiesta,
firmesutil, firmehalagüeña, tímida:
tortura –aditamento–
de insolación fugaz.

PARA extenuarme necesito un ojo
de laberinto, un hito termitero,
un guirigay de infancia:
la fútil robustez del altanero

cazador. Con antojo
de velas, el velero
ha estibado en la estancia
prohibida: me apodero

de mi soma: lo hostigo, lo comparo
conmigo, navegándolo en la costra
de perspicacia. No descubro el faro

jurado por menganos. No se postra
mi ruda gratitud. Te postras, alma:
la tormenta me calma.

JUSTO cetro: esa arteria
encandilada, frívola,
enamora contactos.
Llegaré a su avaricia,
con mi gula, en adviento,
diamantina.

Sojuzgando tristezas
y frambuesas,
embistiendo pistachos, apogeo
de su embriaguez total y cosquilleo
granadal, mi fragata
se aquilata,
crocantemente próspera, exultante.
Mustio pezón gigante.

DISTRAÍDAS las azucenas grises
y la dúctil ortiga con la luz
que se distrae con los colibríes
que cimbran distraídos la segur
balsa de los vergeles distraídos
con el vitral de distraídas urnas
de gallardos gorriones tras los ídolos
exangües de la altura de la altura.

Por unos hilos
de agua
se encaraman arañas
amarillas.

Atolondrada, el alma
disipa
su contento
en los declives tibios.

Ah, la huerta faquir y la retama.
Bejucos, vivarachos matapiojos,
abnegados enjambres,
blanquean, desafiantes,

el yeso
matutino.
Mío, nada; pues todo,
por misántropo, mío.

ASFÓDELO

La sesión, escarpada.
Dios, inicuo, asqueroso:
como la poesía.

Mitad del sinsentido:
como la poesía.

Tú, hombre sorprendido,
superfluo, temeroso:
breve llanto sin lágrimas:
como la poesía.

Cómo me gustaría ser esa oscura ciénaga,
libre de lo de ayer, qué alivio, oscura ciénaga,
dejar correr el tiempo. ¡La más oscura ciénaga!

Cómo me gustaría jamás haber nacido,
libre de lo de ayer, jamás haber nacido,
dejar correr el tiempo, jamás haber nacido.

Cómo me gustaría lograr morirme ahora,
libre de lo de ayer, lograr morirme ahora,
dejar correr el tiempo, lograr morirme ahora.

Cómo me gustaría rodar por el vacío,
libre de lo de ayer, rodar por el vacío,
dejar correr el tiempo, rodar por el vacío.

Cómo me gustaría ser el cero del polvo,
libre de lo de ayer, ser el cero del polvo,
dejar correr el tiempo, ser el cero del polvo.

Para no cavilarme, para no volver nunca,
Dios mío, yo creyera en Ti para no ser.
Cavílame en tu nada, no me hagas volver nunca.
¡Dios mío, yo creyera para nunca creer!

Cómo me gustaría ser esa oscura ciénaga
sola bajo la lluvia,
¡cómo me gustaría ser esa oscura ciénaga
sola bajo la lluvia!

Dicen que fue la muerte la causa de la vida,
y la vida –¿la vida?– la causa de la muerte.
Pero, ahora, mi muerte la causa de mi vida.

Yo qué: furgón deshijo –destello– de la muerte.
¿Me repudias, ovario, por ímprobo deshijo?
Me has arrastrado al éxodo tan candorosamente

que tu candor me duele –ultrajante alarido–,
que tus lianas me duelen –dignas uñas lumbreras–:
cómo me gustaría jamás haber nacido,

cómo me gustaría ser esa oscura ciénaga,
libre de lo de ayer, qué alivio, oscura ciénaga,
dejar correr el tiempo. ¡La más oscura ciénaga!

Cómo me gustaría rodar por el vacío:
la más oscura ciénaga sola bajo la lluvia.
Cómo me gustaría olvidarte, Dios mío.
Cavílame en tu nada. ¡No me hagas volver nunca!

El lecho –qué navío– nos separa.
Te vas, perla humareda, consumido arrebol.
Después de las gargantas
del deleite,

la lebrel lasitud. Quédate mía, ¡quédate!
Huyes, huyes, tendidamente ajena
a mi tenaz abrazo.
Un grumo de aerolito.

¡Retorna! Infame, el sueño, fajándome, aventándome,
majestuoso, insondable
de impavidez, me emigra, aberración,

a océanos distintos de planetas distintos,
cada vez más lejísimos. Opacidad viajera:
¿perpetua travesía? ¡Si nos vamos!

Yo: un trigal.
Tú: los trigales.
Yo: una voz.
Tú: toda voz.
Una voz en los trigales.
Un trigal en toda voz.
Amaranto que se rompe.
Latigazo de ambición.
Amaranto y amaranto.
Usurpador esplendor.

Yo: un trigal.
Tú: los trigales.
Yo: un sendero.
Tú: la tierra.
Un sendero de trigales.
Un trigal sobre la tierra.
Amaranto que se rompe.
Tú: la ofrenda de la ofrenda.
Amaranto y amaranto.
Yo: tu fruto sin corteza.

Yo: un trigal.
Tú: los trigales.
Yo: resuello.
Tú: huracán.

Un huracán de trigales.
Un resuello de trigal.
Amaranto que se rompe.
Lo vasto no es vastedad.
Tú: un resuello en los trigales.
Yo: un trigal en huracán.

CORTEJO Y EPINICIO III

La Opción

ESTE viento de otoño me nutre... Por la cara
me flagela penumbras: tercos perros alegres
en una huerta... Bebo marchitas humedades:
disciplinadas hélices
que la sed desordenan con su ímpetu letal,
que la adornan de cantos con su cítara viva,
que la inundan de humildes lasitudes tozudas,
de ambiciosas resinas.

Viento obtuso, me atrapas
por lo tú, por lo selva, por lo tirano y ávido
–lo fatuo
de tus naipes sin límites–.
Polvareda sin cuerpo,
vuélame el arrayán de sensatez, las jarcias
de aflicción. ¡A volar
con tu adulterio agreste, tu elixir de tañidos!

La arboleda cimbrea laberintos.
El predio de zagalas devasta cabelleras.
Los remos, en el río de borusca, se aguijan.
En la hamaca de piedra se acumulan las sombras.
Riña de injuria tenue,
me entrego.
Ñeque viento,
muéleme.

Tus raíces
socorren las raíces
de los besos: calor de dulcedumbre.
Mis espacios encienden más orvallo en sus tules.
Mi carne desparrama gavillas siderales.
Trasparentes, mis venas.
(Las heridas galopan hacia el vaivén de bosques:
sublevan surtidores.)

Nieve chúcara:
viento luz: mi anaconda:
mi buitre de horizontes:
santidad rufianesca:
mi tahona de entrañas.
¡Viento efímero!:
que, cuando me corones,
del hondor de tu otoño brote, sierva, la noche.

Me fui como no voy, como no iría... Yendo
desde el Noír al Ir, secuestré la Partida:
«¡Por fin, desliz, he vuelto!» Y era la despedida...
Me voy como no fui, como no iría... Yendo

desde el faro del Vuélvete al cráter del Nosigas,
tropecé con mi andanza –mi cosecha–:
gibándole las huellas, la impelí hacia la Brecha.
Desde el faro del Vuélvete al cráter del Nosigas,

me fui como no voy, como no iría... Yendo
desde el Ser a la Ráfaga, me omití, me desdije:
patíbulo de atuendo.

Desde el Noír al Ir,
mi espíritu se armó dese rencor que exige
raer –raer lo móvil–: ¡no pude resistir!

* * *

¿Qué voz de retroceso? Su asiduidad se empina
por sobre las campanas del lento Campanario:
de campana en campana, diligente, elimina
mis verecundas hégiras –idus del Calendario

de las talegas íntimas que poseo–. Marmóreo,
fluvial y celestial, el temporal reseco
que entumezco me empuja, mudamente estentóreo,
a las grutas que usuran el eco de algún eco

del afable barranco. ¿Qué voz de retroceso
me amelga, me arremanga, me difiere, me zanja,
me coarta, me escupe, me preserva, me franja,

me sentencia al absceso
que me desextasía, vendiéndome, ladino,
a la sofocación del Problema divino?

* * *

Corrí hacia mis perdidos padres: en el umbral
me esperaban: sollozos.
La casual
tarasca… ¡Me esperaban! ¡Mis cuitados ansiosos!

Ovillo burbujeante, se volcó, fue hacia ellos
la luz: se retorció: mi bestia de ternura.
Mi saliva, longincua, mojaba sus resuellos.
Le protesté al jolgorio: «¡Apura! ¡Apura! ¡Apura!»

Con mi salmo, a mis padres, vehemencia de Vida:
«¡Hijos míos, a vuestros meniscos me ataré:
no hondearé la Partida!»

Me tendieron sus pobres brazos fieles.
Sus pupilas: opacos cascabeles.
Les aullé:

«¡He vuelto! ¡He vuelto! ¡He vuelto!» Y era la despedida.

SEPULCRO

Lo fácil,
entretanto.

INSTANCIA

«Escozor
o bencina,
por cazuela
de reacios martillos
demacrados:
conquístame tutor:
sesudo médico noespecialista.
Carezco
de riñones metafísicos.
Bostezo mientras duermo,
fomentando, seráfico,
las hienas.»

«Fallé.»
¿Jergón? Ni silla.
La conciencia, de pie.
Dios se arrodilla.

PASODOBLE

En esta bolsa –¿mía?–
llevo a cabo maniobras
de creación: furtivas.

Zutano, en otra bolsa,
lleva a cabo maniobras
de creación: furtivas.

¿Plataformas
idénticas?
Idénticas.
¿Encadenadas? Sí.

Lacrimosos cacharros:
traillar: reproducir.
¿Vísceras? A destajo.

VENTAJOSO ascensor acelerado,
la inspiración desdeña vacaciones.
El vigor –simultáneo–
del vaso que se rompe.

Sobre ruedas, los puños. Bajo ruedas,
los cirios.
De etiqueta,
don Desengaño exhibe sus testículos.

Disfrutar el minuto:
padecerlo:
úlceras, sus inviernos.

Lo que dura una estrella.
Lo que dura un refugio.
Lo que dura el jabón deste poema.

«Lo robaron»,
gimió la estantería.

* * *

Volumen de volúmenes,
yo fui mi biblioteca:
me inicié con un libro
–delgado,
tapas rojas
y páginas
azules–
que atesora la crónica
del oropel que vino
por un día a la tierra.

* * *

Y yo, en la vaharada,
una oquedad que brilla.

PUESTO
que la literatura –pacotilla–
miente sin desmentidos,
invita a don Tapiz don Evangelio
a un recital de poesías mías
por un conjunto de copihues negros.
Gratis, la entrada. Uánderful: me invito.
Clandestino, escuchar: casto bullicio.
Clandestino, apeldar: ni un intermedio.

EPOPEYA: I

Dios, en una de tantas borracheras,
obró este multiverso: macedonia.
Tétrico, ingenuo, cínico,
los brunoviernes, a las once doce,
lo admite, tambaleándose.

Se oscurecía el bosque.
Sedienta, la vertiente.
Ni un alma a la redonda.
«Quedar

en la memoria
de los hombres.»
«¡Jesús!», me tascó Cristo.
«¿Dónde

lo divertido?»
«¿Quedar
en la memoria

de quiénes?»
«De los hombres.»
«¿Los *conoces*?»

Dos roces más un roce más
tres roces:
mis suaves uñas más tus suaves dientes
me enseñan a sumar.

¿Ujieres?
No rastreo.
Sí, sí rastreo. Flecos precursores.
Que el pestillo, que el traje, que el pañuelo…
No purgaré columpios, ni razones.

EMPATIZANDO con aquel cojín,
cautivaré tu espalda hace unas horas.
Jalearás arrogancia contenciosa:
«Me está engañando *a mí*.»

LA muchacha y la noche
me brindan sus pezones.
«¡Arráncame el vestido!»
«¿Y el broche?»
«Dile a *ése*
que incurre en…»
Consabido
cauterio prevalece.
Náufrago
birimbao,
la muchacha respira
con mi hosana volcánico en sus islas.

–Tu barullo
me desvela. David, no te desveles.
–¡Mi emersión!: varios cuartos con papeles.
¿La tuya, Señor tuyo?

* * *

A pesar del festín de mi cansancio
–pasillo del portento–,
giro hacia el verso:
«Pícaro, ¿fisgando?»

* * *

Con el arado de la pluma oprimo
la pluma del arado.
Por *este* grano menguaré el racimo.
Sé, poema, dichoso y desgraciado.

Mi prima, descarriada,
ridícula, rebelde,
seductora, imprudente,
caritativa, diáfana,

artificial, enclenque,
resbalosa, vandálica,
emperatriz, amarga,
vestal, sucia, solemne,

inexorable, cruda,
pizpireta, llorona,
trastabillante, floja,

dilapida, en las tumbas,
un aquilón de ninfas,
un celaje de chispas.

¡Gloriosa desfachatez!
La luz, con la luz.
El himno, con el himno de tus venas.

No te permitas
ningún
dolor, si me desvanezco,

pues ya *sabes*
que estaré,
en lo real, aguardando

los eslabones del viaje.
Nos anhelan.
Zarparemos

cuando el ángulo
surja: total. ¡Alegría!

CORTEJO Y EPINICIO IV

La Noche Antes

FASTIGIO

NIMBOS dispersos
en el torbellino
que en mí reposa,
calcinados, mis versos,
sempiterno camino,
levantan, en la luz, su última rosa.

NATURALEZA MUERTA

UN castillo de algodón,
una dama de pastel,
una bruja de clavel,
un edicto de turrón,
un príncipe de madera,
una escalera de cera,
una boda de melón,
una prosapia de rana,
una infancia de manzana,
un mocoso de cartón.

¿DÁRSENA? Comedimiento:
se tiene lo que se tiene
hasta que no se lo tiene.
No se lamenta el lamento.
Volubilidad, la Parca,
transigiendo, desembarca.

TRIZALEJO, trizalejo:
¡la humillación que se va!:
llamarada desalá
sobre mi cepellón viejo.
Trizalejo, trizalejo:
¡la humillación que se va!:

fiscal se nos va. ¿No vuelve?
No vuelve, ni volverá:
llamarada desalá,
en quimeras se disuelve:
fiscal se nos va. ¡No vuelve,
ni volverá!

Arrebujarse. No hay más
que sentir frío: morir.
Sucumbiendo, resistir
la nostalgia del jamás.
Arrebujarse. No hay más
que sentir frío: morir.

Mi cobardía regresa
en busca de zancadillas:
espesura en las rodillas,
que me arrodilla y me besa.
Mi cobardía regresa
en busca de zancadillas.

En mi busca, hacia mi cuesco:
cepellón, cadalso fuerte,
añejo para la muerte,
pero para el agua fresco.
Munificencia, mi cuesco:
semilla fuerte

–tributo
del sol, sensato, desnudo–:
Dios en sus palmas, sañudo,
la siembra: ¡pródigo fruto!
¡Semilla fuerte! ¡Tributo
del sol, sensato, desnudo!

Cepellón, semilla dura,
semilla mía, en las palmas
de Dios creces y le calmas
su tortura.
Cepellón, semilla dura,
semilla mía: ¡en sus palmas!

Para dormir, despertar.
Sonochar para dormir.
Sucumbiendo, resistir
la pesadilla del mar,
que no duerme. Descansar.
¡Resistir para morir!

Estruja primicia seca,
Dios: te la doy: amalá:
llamarada desalá,
núbil, hueca…
Estruja primicia seca,
Dios: te la doy: ¡amalá!

Se hará carne que es perfume,
se hará perfume que es viento,
se hará viento que es intento
de alcanzar lo que me entume
la carne. ¡Dios! ¡Tu perfume
se hará perfume que es viento!

Trizalejo, cepellón,
derrúmbate en tu descanso:
Dios es manso,
Dios procura tu sazón:
Dios es recio, libre, manso:
¡siémbralo en ti, cepellón!

Dios es recio, ignaro, manso,
Dios procura tu sazón:
se hará carne que es perfume,
se hará perfume que es viento,
¡se hará viento que es intento
de alcanzarte, cepellón!

Como la enormidad –triquiñuela del sueño–,
senectud sin edad,
faena sin empeño,
Dios –triquiñuela de la enormidad–
se apronta, en su taller,
a desaparecer.

«Admito mi orfandad.
Con elegancia,
mi viuda,
vitalicia,
me columpia,
me chamusca las nalgas,
endereza las sillas
y me arregla, esmerándose, el dogal.»

EL BRAMIDO

«¡Decídete! Se alojan
en las repisas hueras
de la omisión Mis obras
con franqueza maestra.»

TÚ: chacoteo con faunos;
yo: con ninfas.
Coro de jácaras: ambos.

En el azabache estanque
vigilan las maravillas
(¿tuyas?) mías.

En el estanque azabache
bostezan las aventuras
(¿mías?) tuyas.

Oh ninfas rinocerontas.
Oh faunos tatarabuelos.
Nuestras muletas recojan
el deseo.

LAS proas
habrán aprendido arraigo
cuando tus labios –sin boca–
liben mi boca –sin labios–.

En este zigzag del día
conformémonos con ser
la demencia de unas briznas:
arrullar un arambel.

Cuando mi boca –sin labios–
libe tus labios –sin boca–
habrán aprendido arraigo
las miradas y las órbitas.

EL cuento empezó en Echaurren
–recoveco
de un planeta
que *se* descalandrajó–:
sin linderas
un adarve
–como los tús de los yos–.

El cuento
–cuento en un cuento–,
por ser tal, *se* consumió.

Mis únicos albedríos,
mis valientes
proveedores de estíos
–gafas, canas: alicientes–,
me custodiáis, padres míos,
como fulgores y dientes.

«Sublime Antología
Mundial de Poesía.»
Me amparas,
caridad: «¡Si figuraras!»
Trúfame, Parca, si aparezco un día
en esa Antología.

* * *

«Por ti, la virtud mía.
No salmos danteguetes, ni homería.
Deveraveraveras, poesía.»

* * *

¿Gasto mi sangre –mi atención: mi aliento–
en tal bocón fracaso
presuntuoso?
¿Medrar coraje a aquel abrazo
tuyo, papá? ¿Atrapar reposo,
encuclillado sobre la austera bizarría
de mi disentería,
espetándole, hábil, a mi bulbo: «Lo siento»?

ALFA

—Tus númenes, tu anís, tu malasuerte,
no cesan.
—¿Ni en la muerte?

CABAL,
te habré de sepultar,
trovo enemigo.

Oh montaña: subir para bajar.
Hacia el erial,
el mar.

Cabal,
trovo enemigo,
me habré de sepultar.

CARRUSEL
que gira, inmóvil, y se detendrá
girando más:
el ser del ser del ser.

AYER, quizá, cumplí seicientosnueve.
Criogenia plena. Hace calor. No llueve.
Podo. Me podan.
Gálbulas. Arenques.

Vitalidad: un dardo
de retrocesos: una mojiganga:
un presagio
palurdo

de casual trayectoria
–burla elástica–: un tubo:
grácil sarna

(de duende sin recursos,
desprendido) a sus anchas.
Hace aflicción. No llueve.

DEL turbión
los mosaicos,
hacia preñez, qué várice
de ineptitud, polluelos,
el bosquejo de un patio,
la cabeza
de un rorro empecinado,
la maceta colmena.

Soportar, sinembargo,
hacia la noche, fajos
de aljófares de antaño:
la convulsa
panoplia –mirra,
naipes,
adelfas–,
la hierba de la música.

Gavilla
de linternas:
atarme a los rescoldos,
zambucar,
crepitar:
sesgo
de chimeneas,
hollines bienamados.

Espónjame, retazo
del turbión,
hacia el sótano,
tramos,
el bosquejo de un charco.
Soportar, sinembargo,
las abiertas esclusas:
hacia la noche, entrando.

EL carruaje ligero de la noche…
Me ayudan
a vestirme.
Listo,
por fin,
de pie,
no me atrevo a salir.

Debe de ondear la acera
en abusiva gelatina. Temo
asomarme a la puerta:
puede verme
el cochero y llamarme.
La criada, en su reino:
«Churumbel, no se atrase.»

¿Libertad?
Ascender
hasta el asiento blando,
dejándome llevar . . .
Las calles agasajan
garapiñosas víboras.
¿Moradas

o desperdicios? Unta
la niebla los umbrales.

Los caballos
avanzan
como si no pisaran.
Y me quedo dormido:
con abandonos de pestañas gruesas,

enlutados,
los astros me reciben:
el carruaje ligero de la noche…
Me ayudan
a vestirme.
Listo,
por fin,

de pie,
no me atrevo a salir.
Debe de ondear la acera
en abusiva gelatina. Temo
asomarme a la puerta:
puede verme
el cochero y llamarme.

La criada, en su reino:
«Churumbel, no se atrase.»
¿Libertad?
Ascender
hasta el asiento blando,
dejándome llevar…
Las calles agasajan

garapiñosas víboras.
¿Moradas
o desperdicios? Unta
la niebla los umbrales.
Los caballos
avanzan
como si no pisaran.

Y me quedo dormido:
con abandonos de pestañas gruesas,
enlutados,
los astros me reciben.

ÍNDICE

EL ZÓCALO

PRELUDIO 21
OLVIDAMOS LOS OJOS 22
EL GATO COGE A UNA MARIPOSA 23
CANCIÓN DE CUNA 24
GENETRIX 26
ME INCITÓ EL ESPEJO 27
ERA YO DIOS Y CAMINABA... 28
DIOS SE CAMBIA DE CASA... 29
ODA MORAL 31
AH, SER LA TRISTE OVEJA... 32
LA TAZA DE CAFÉ, LA CAFETERA 34
QUE NO ENTURBIE TUS VEREDAS 35
PUMA DE LUZ... 37
LA VETUSTA COPLA 39
EN LAS LAVAS SENSUALES... 40
MANSIÓN, GRACIA, VERANO... 41
PASIÓN 42

EL MENSAJERO

FICCIÓN 47

GLEBA 48

SE ACOMODA EL ESTRADO... 49

FÍSICO 50

GESTA 51

RODEADO DE NARANJOS BLANQUECINOS 52

LA LLANURA 53

EL SOL PICA LA ESPUELA 54

HURGANDO EL ESCOZOR... 55

PARA EXTENUARME NECESITO... 56

JUSTO CETRO... 57

SOJUZGANDO TRISTEZAS 58

DISTRAÍDAS LAS AZUCENAS... 59

POR UNOS HILOS 60

ASFÓDELO 61

CÓMO ME GUSTARÍA SER... 62

EL LECHO... 64

YO: UN TRIGAL 65

LA OPCIÓN

ESTE VIENTO DE OTOÑO... 69

LA TRAICIÓN 71

SEPULCRO 74

INSTANCIA 75
FALLÉ 76
PASODOBLE 77
VENTAJOSO ASCENSOR... 78
LINAJE 79
PUESTO 80
EPOPEYA: I 81
SE OSCURECÍA EL BOSQUE 82
DOS ROCES MÁS... 83
EMPATIZANDO CON AQUEL COJÍN 84
LA MUCHACHA Y LA NOCHE... 85
EURITMIA 86
MI PRIMA, DESCARRIADA 87
¡GLORIOSA DESFACHATEZ! 88

LA NOCHE ANTES

FASTIGIO 91
NATURALEZA MUERTA 92
¿DÁRSENA? 93
TRIZALEJO, TRIZALEJO 94
COMO LA ENORMIDAD... 97
ADMITO MI ORFANDAD 98
EL BRAMIDO 99
TÚ: CHACOTEO CON FAUNOS 100
LAS PROAS 101
EL CUENTO EMPEZÓ EN ECHAURREN 102

MIS ÚNICOS ALBEDRÍOS 103
SUBLIME ANTOLOGÍA 104
ALFA 105
CABAL 106
CARRUSEL 107
AYER, QUIZÁ, CUMPLÍ... 108
DEL TURBIÓN 109
EL CARRUAJE LIGERO DE LA NOCHE 111

ACABÓSE DE IMPRIMIR
EL DÍA 10 DE MARZO DE 2014